프란체스카 산나 글·그림
이탈리아 일러스트레이터이자 그래픽 디자이너입니다. 일러스트레이터가 되겠단 꿈을 이루려고, 스위스에 있는 루체른 아트 앤 디자인 학교에서 일러스트를 공부했습니다.
이 책이 글을 쓰고 그림을 그린 첫 번째 그림책입니다.

차정민 옮김
인하대학교 영어영문학과 언론정보학을 공부했습니다. 두 아이의 엄마로 어린이책을 기획하고 편집하는 일을 하고 있습니다. 이 책이 우리말로 옮긴 첫 번째 책입니다.

나의 여행을 이끌어 준
안젤라, 안토넬로, 다니엘, 엘레나 그리고 로라에게

The Journey
Text and Illustrations Copyright © Francesca Sanna, 2016
Originally published in the English language as "The Journey." © Flying Eye Books, 2016.
All rights reserved.
Korean Translation Copyright © Pulbit Publishing Co., 2017
The Korean language edition published by arrangement with Flying Eye Books through Shinwon Agency Co.

풀빛 그림이 긴 여행

초판 1쇄 인쇄 2017년 4월 2일 | 초판 1쇄 발행 2017년 4월 7일
글쓴이·그린이 프란체스카 산나 | 옮긴이 차정민
펴낸이 홍석 | 전무 김명희 | 편집부장 이정은 | 편집 차정민·이선아 | 디자인 박두레
마케팅 홍성우·이가은·김정선 | 관리 최우리
펴낸곳 도서출판 풀빛 | 등록 1979년 3월 6일 제8-24호
주소 서울특별시 서대문구 북아현로 11가길 12 3층 (북아현동, 한일빌딩)
전화 02-363-5995(영업) 02-362-8900(편집) | 팩스 02-393-3858
전자우편 kids@pulbit.co.kr | 홈페이지 www.pulbit.co.kr

ISBN 978-89-7474-298-0 77840

이 도서의 국립중앙도서관 출판시도서목록(CIP)은 서지정보유통지원시스템 홈페이지(http://seoji.nl.go.kr)와 국가자료공동목록시스템(http://www.nl.go.kr/kolisnet)에서 이용하실 수 있습니다.
(CIP제어번호: CIP2017005994)

품명 아동 도서   사용연령 5세 이상
제조국 대한민국   제조년월 2017년 4월 7일
제조자명 도서출판 풀빛   연락처 02-363-5995
주소 서울특별시 서대문구 북아현로 11가길 12 3층 (북아현동, 한일빌딩)
주의사항 종이에 베이거나 긁히지 않도록 조심하세요.
책 모서리가 날카로우니 던지거나 떨어뜨리지 마세요.
KC마크는 이 제품이 공통안전기준에 적합하였음을 의미합니다.

긴 여행
평화를 찾아 떠나는 사람들

프란체스카 산나 글·그림 차정민 옮김

풀빛

우리 가족은 바다가 가까운 도시에서 살았어.

여름이면 바닷가에서 많은 시간을 보냈지.

하지만 이제 더는 그럴 수가 없어.

작년 그날 이후로 모든 것이 달라졌거든.

전쟁이 난 거야.
날마다 나쁜 일이 터졌어.
우리는 혼란스럽고 두려웠어.

전쟁은 아빠도 앗아 갔어.

모든 것이 암담하고 막막했어.
엄마의 근심도 점점 깊어졌어.

어느 날 엄마 친구가 왔어 찾아.
많은 사람들이 떠나고 있다고.
다른 나라로 가려는 거래.
높은 산이 있는 먼 나라로.

우리가 물었어. "거긴 어떤 곳이에요?"
엄마가 대답했어. "안전한 곳이란다."
우리가 또 물었어. "어디 있는데요?"

엄마는 우리에게 그림을 보여 줬어. 낯선 도시들과 숲과 동물들의 그림을.
엄마는 한숨을 쉬며 말했어. "우리도 떠나자. 전쟁이 없는 곳으로."

우리는 떠나고 싶지 않았어.
하지만 엄마는 우리가 굉장한 모험을 할 거라고 했어.
우린 집을 꾸리고 모든 것에 작별 인사를 했어.

사람들이 눈을 피해 밤에 출발했어.

여러 날들을 달렸어.

멀리 갈수록

집을 계속 줄여야 했어.

마침내 우리 국경에 도착했어.

거대한 벽이 앞을 가로막고 있었어.
문이 열리지 않아 벽돌을 타고 넘어야 했어.

그때였어. 국경을 지키는 사람이 무섭게 소리쳤어.

"허락을 받지 않은 사람은 국경을 넘을 수 없습니다. 돌아가세요!"

우린 갈 곳도 없고, 움직일 힘도 없었어.

어둠 속에서
바스락거리는 소리가 났어.
나는 너무 무서웠어.

하지만 엄마가 우리와 함께 있었어.
엄마는 무서워하지 않았어.
우리는 눈을 감고 잠이 들었어.

고함 소리에 잠에서 깼어.
국경 경비원들이었어. 우리를 찾고 있었어.
우리는 숨어야 했어.

"이쪽으로, 빨리!"
엄마가 속삭였어.

우리는 달리고 또 달렸어. 그러다 한 아저씨를 만났어.

처음 보는 사람이었는데 우리를 도와주겠다고 했어.

엄마는 아저씨에게 돈을 줬고 아저씨는 우리가 국경을 넘게 해 주었어.

깜깜한 바이라 아무도 우리를 보지 못했어.

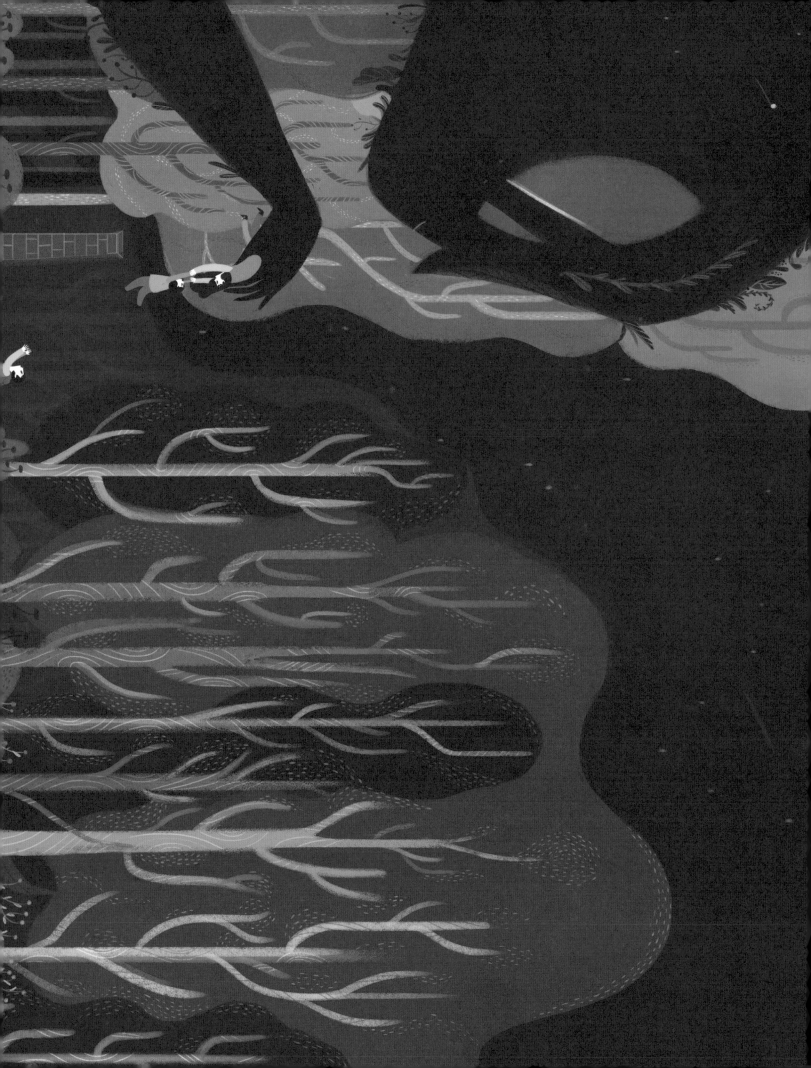

"우리 여행은 아직 끝나지 않았어." 엄마가 말했어.
우린 바다를 건너야 했어.
정말 건널 수 있을까?

작은 보트에 올랐어. 사람들이 어찌나 많은지 발 디딜 틈도 없었어.

게다가 매일 비가 내렸어. 하지만 우린 서로의 이야기를 나누었어.

보트 아래 숨은 무섭고 끔찍한 바다 괴물 이야기도 했어.

보트가 뒤집히면 우릴 집어삼킬 거라고.

파도가 거세지며 보트가 마구 흔들렸어.

바다는 꿈이 없을 것만 같아서. 우린 새로운 이야기를 나누었어.

우리가 갈 나라에 대한 이야기였어.

그곳엔 커다랗고 푸르른 숲이 있고 친절한 요정들이 춤을 추고 있을 거래.

요정은 우리에게 진정을 끄낼 마법의 주문을 줄 거래.

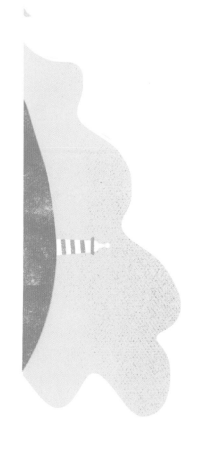

태양이 떠오르며 처음으로 빛을 보았어.
보트가 조용히 해변에 닿았어.

엄마는 우리가 무사히 함께 있는 건 큰 행운이라고 말했어.

"여기가 안전한 곳인가요?" 우리가 물었어.

"거의 다 왔단다." 엄마가 지친 미소를 지었어.

우리는 여러 날 낮과 밤을 달리고 달렸어. 여러 국경을 넘었어.

창밖으로 우리를 뒤따라오고 있는 듯한 새들이 보였어.

새들도 먼 곳으로 가고 있었어.

우리처럼 매우 긴 여행일 거야.

하지만 구경을 넘을 필요는 없지.

언젠가 우리도 새들처럼 새 보금자리를 찾을 수 있을 거야.

그러면 새로운 삶을 꿈을 안전하게 다시 시작할 수 있겠지?

작가의 말

《긴 여행》은 난민 가족의 실제 이야기를 담은 책입니다.

이탈리아 난민 수용소에서 두 소녀를 만났고, 그들의 이야기에서 강한 무언가를 느꼈습니다.

그 후, 다른 나라에서 온 여러 사람들의 이야기를 모으며, 그들의 이야기를

책으로 만들어야겠다고 다짐했어요. 우리 매일 신문과 방송에서 '난민'에 대한 소식을 들어요.

하지만 난민들의 개인적인 이야기는 들을 수 없지요. 《긴 여행》으로 난민들의 이야기에

귀 기울여 주세요. 평화로운 삶에 대한 강한 바람을 느끼길 바랍니다.

↑

세계적인 인권 운동 단체인 국제앰네스티에서 이 책을 어린이들에게 인권에 대해 알려 주는 좋은 도서로

추천했습니다. 국제앰네스티 홈페이지와 풀빛 홈페이지에서 이 책을 활용한 인권 교육 자료를 받을 수 있습니다.

amnesty.or.kr/involved/education

www.pulbit.co.kr